Gwyrdd fy Myd

Russell Jones

gyda Mared Lewis

Gwyrdd fy Myd

Gwasg
Gwynedd

Argraffiad Cyntaf — Gorffennaf 2010

© Russell Jones/Mared Lewis 2010

ISBN 978 0 86074 263 0

I'R TEULU SYDD 'DI BOD AC SYDD I DDOD

Dymuna'r cyhoeddwyr a Russell ddiolch i'r canlynol am eu cymorth caredig:

Jen, Wendy a Meurig, James, Lilian, Taid Nebo, Nain Tal-y-sarn, Keith Jones, Nic, Clare, Aeron, Angela a Charles Yorke, Mrs Esyllt Hession, Anti Ann Thompson, Anti Ann Johnson, Anti Perl Thomas, Canolfan Arddio Fron Goch, Caernarfon; Cwmni Da, S4C, Palas Print a Mared Lewis – ac i bawb arall sydd wedi cyfrannu mewn unrhyw ffordd at ei dri deg mlynedd cyntaf ar y ddaear!

Ffotograffau drwy garedigrwydd: Gerallt Llewelyn: clawr blaen, clawr cefn (gwaelod chwith), 15 (top chwith), 17, 20 (top de), 23 (top), 24, 31, 34 (top), 36, 37, 38, 39, 40, 41 (gwaelod chwith), 42 (top chwith), 46, 49, 50, 51, 52, 53, 54, 55, 56, 57, 58 (de), 59, 60; S4C/Dewi Glyn Jones: clawr cefn (gwaelod de), 42-3, 44 (gwaelod), 45; S4C/Warren Orchard: 19, 35, 47; S4C/Alistair Heap: 7; Aled Davies: 44 (top).

Mae'r cyhoeddwyr yn cydnabod cefnogaeth ariannol Cyngor Llyfrau Cymru.

Cyhoeddwyd gan
Wasg Gwynedd, Pwllheli

CYNNWYS

Holi Russell

Pwy ydi'r bobol sy wedi dylanwadu fwya arnat ti?
Fy nheidia.

Hoff bryd bwyd?
Kedgeree. Reis brown, wya 'di berwi a physgod.

Dy ddiwrnod perffaith?
Mynd i sioe efo hannar cant o adar ac ennill!

Hoff flodyn?
Epiphyllum – orchid cactus.

Hoff lysieuyn?
Kohlrabi.

Hoff daith / hoff wlad?
Cymru, a'r lôn adra o le bynnag dwi 'di bod.

Hoff lyfr?
British Poultry Standards.

Hoff fath o fiwsig?
Cerdd dant.

Be sy'n dy wylltio di?
Pobol heb synnwyr cyffredin.

Be sy'n nefoedd ar y ddaear i ti?
Yr ha', i gael gweld petha'n tyfu. Cael codi'n gynnar ar fora tawal.

Atgof cyntaf?
Fy mrawd bach James yn cael ei eni.

Hoff ddillad?
Côt groen dafad a hen het las efo marcia llosgi arni.

Sgìl fasat ti'n hoffi ei chael?
Chwara'r delyn.

Hoff raglen deledu?
Dame Edna!

Hoff berfformwyr adloniant Cymraeg?
Ifas y Tryc a Charles Williams.

Teclyn y gallet ti fyw hebddo?
Ffôn symudol.

Teclyn na allet ti fyw hebddo?
Deorydd wya.

Hoff gamp / chwaraeon?
Unrhyw beth efo bat!

Yr anifail anwes gorau i ti ei gael erioed?
Seren y ci.

Sut hoffet ti gael dy gofio?
Fel un nath i bobol chwerthin a chael hwyl.

Plentyndod

Yn Ionawr 1980 y dois i i'r byd, plentyn cynta-anedig Wendy a Keith Jones. Roedd Mam a Dad yn byw mewn carafán statig yn Nebo pan ges i 'ngeni, cyn i ni symud i Rosgadfan i fyw.

Fi ydi'r hyna o dri: mae Lilian fy chwaer ddwy flynadd yn fengach na fi, a James wedyn yn bum mlynadd fengach na fi. Dwi'n cofio'n iawn y noson ddaeth James i'r byd. Nos Fawrth oedd hi, a phawb ar y soffa yn sbio ar *Benny Hill*. Mi aeth Mam i fyny i redag bath a ches i mo'i gweld hi wedyn am oria, tan i ddrws y stafall wely gael ei agor, a ninna'n cael mynd i fewn i weld y babi newydd!

Nyrs yn Peterborough ydi Lilian erbyn hyn, ac wedi priodi efo Wayne, hogyn o fan'no. Mae James yn byw yn Rhosgadfan o hyd. Acrobat ydi o, ac mae o fatha lastig band, yn gallu plygu'i gorff i neud pob math o stumia! Mae o'n gneud gweithdai sgilia syrcas efo plant a phobol ifanc. Mae James hefyd yn fy helpu fi efo'r ardd ac ati pan mae o'n medru gneud. Mi gân nhw gyfla i ddeud eu hochr nhw o'r stori yn nes ymlaen yn y llyfr yma, ond mae gen i atgofion hapus iawn o fod efo nhw, yn chwara ac yn gneud dryga (fel mae plant), ac yn ffraeo chydig hefyd!

Dwi 'di bod yn un am fyd natur erioed, ac ro'n i'n licio bod yn brysur tu allan o hyd, yn crwydro ac yn chwara. Fedrwn i ddim pasio carrag heb ei chodi i weld be oedd yn byw oddi tani. Ceir ac adeiladu ydi petha Dad o hyd, ac mae'n gas gynno fo bridd, a finna'n hollol groes! Dwi'n ama mai ar ôl Taid Nebo dwi'n cael y diddordab mawr yma ym myd natur. Pan oeddan ni'n byw yn ein hen dŷ, do'n i'n cael fawr o gyfla i neud llawar o ddim efo byd natur achos dim ond hancas bocad o ardd oedd yno.

Dwi'n cofio 'radag honno roedd 'na ddyn o'r enw Gwynfa yn byw yn y pentra, ac roedd o wastad allan yn ei ardd. Roedd o'n ddyn cry, iach, ac yn gwbod am bob coedan a blodyn ac yn gweld gwerth ym mhob planhigyn. Doedd pres ddim yn golygu llawar i Gwynfa; mi fydda'n arfar ffeirio planhigion am fala, a ffeirio'r fala am rwbath arall

Mam a fi

Dad yn mynd â fi am dro rownd Rhosgadfan

Cama cynta!

Lilian a Dad

wedyn, neu'n gneud gwaith garddio i bobol er mwyn cael rhwbath yn lle'r gwaith. Nid pres, cofiwch. Roedd o'n goblyn o gymeriad – wastad yn llawn hwyl. Mae'n siŵr fod Gwynfa wedi cael dylanwad arna i hefyd, er mod i ddim yn sylweddoli hynny ar y pryd, ella.

Dwi'n meddwl mai tyddynnwr ydw i o ran natur, achos dwi'n dal i fod wrth fy modd yn dŵad â byd natur i mewn i'r tŷ. Dwi'n credu bod bywyd yn rhy fyr i wahanu'r ddau fyd, i gadw'r byd tu allan oddi wrth y byd tu mewn. Doedd Lilian a James ddim yn debyg i mi, chwaith. Ymatab Lilian i unrhyw beth i neud efo natur ydi 'Ych' – hyd heddiw! Mae James yn dechra cymryd mwy o ddiddordab mewn planhigion ac ati erbyn hyn. Pan oeddan nhw'n blant, siopa a geriach oedd yn mynd â'u diddordab nhw, tra oedd yn well o lawar gen i fynd i sgwrsio a hel tai. Yn amal iawn, mi fyddwn i 'di mynd am dro, ac wedi cychwyn sgwrs efo hwn a llall yn pentra, heb sylwi ei bod yn dechra tywyllu o 'nghwmpas i! Mam a Dad wedyn yn gorfod mynd o gwmpas Rhosgadfan yn cnocio drysa, ac yn gofyn, 'Ydi Russell efo chi?' Do'n 'im y boi hawsa i gadw trac arna fo!

Mi roedd 'na griw ohonan ni blant Rhosgadfan oedd wrth ein bodda'n chwara ac yn cael hwyl diniwad. Fe fydda Noson Guto Ffowc yn golygu wythnosa lawar o hel coed a phob math o betha o bob man er mwyn adeiladu'r

Charles a fi
yn y mwd

Charles (fy ffrind) a fi efo'r
goelcerth 'anferthol'!

goelcerth fwya welodd neb erioed. Roedd rhwbath felly'n tynnu pobol at ei gilydd.

Dwi'n cofio ni'r plant yn clymu rhesiad o'n ceir bach plastig yn sownd yn ei gilydd, ac yna pawb yn neidio i'w gar a gwibio i lawr pafin yr allt yn un trên hir swnllyd, a landio'n dwmpath ar waelod yr allt dan chwerthin! Wrth edrach yn ôl, mae'n syndod na ddaru neb ohonon ni frifo, ond dach chi'm yn poeni am betha felly pan dach chi'n blentyn, nacdach?

Wedi deud hynny, dwi'n cofio un diwrnod arbennig yn glir iawn, pan o'n i tua saith oed. Wedi bod o gwmpas yn hel pryfaid genwair rownd Nebo o'n i, a 'mhocad i'n llawn ohonyn nhw i'w bwydo i ieir Taid. Wedyn dyma gael cynnig reid ar drelar ar gefn y tractor efo Llŷr a Siân, fy nghefndryd. Roedd gen i habit o swingio 'nghoesa, ac wrth neud hynny dyma un o 'nghoesa robin goch i'n swingio i mewn i ffrâm rydlyd y trelar! A finna'n gweiddi sgrechian fel mochyn yng nghegin Nain Nebo, doedd dim amdani ond mynd â fi i Ysbyty Gwynedd, a'r bandej yr oedd Nain wedi'i glymu am 'y nghoes i mor

dynn nes oedd o wedi troi'r droed yn las, bron! Chofis i ddim byd fod fy mhocedi fi'n llawn dop o bryfaid genwair, naddo? Mi gafodd rheiny drip i Ysbyty Gwynedd hefyd!

Yn nes ymlaen yn y diwrnod, roedd Mam wedi rhoi fy nillad yn y peiriant golchi am eu bod nhw'n fwd i gyd. Dyna sioc gafodd hi a phawb arall wrth dynnu'r dillad allan i'w rhoi nhw ar y lein: roedd y peiriant yn llawn o bryfaid genwair, toedd, a'r rheiny wedi troi'n wyn ac yn lân neis ar ôl cael wash go dda! Mi ddorrodd Taid Nebo un

Charles a finna'n
chwara

Y boi annibynnol yn yr ardd!

Fi a 'mloda haul

o'i ffyn i lawr i'n seis i er mwyn fy helpu i gerddad, dwi'n cofio. Ac mae'r graith ar 'y nghoes i hyd heddiw.

Mam oedd yn ein magu ni fwya, ac roeddan ni'n cael rhyddid ganddi hi i chwara a bod yn greadigol o gwmpas y tŷ – gneud twneli efo blancedi a chynfasa gwely ac ati. Nid pob mam fasa 'di gadal i ni neud ffasiwn olwg; felly chwara teg iddi.

Charles Tŷ Hen oedd un o'm ffrindia penna i pan o'n i'n blentyn, er bod gen i lawar o ffrindia eraill hefyd. Mi fydda Charles a fi wrth ein bodda'n hel pob math o goedydd ac unrhyw beth fydda'n llosgi er mwyn gneud coelcerth, ac wrthi o gwmpas y goelcerth yma wedyn am oria lawar. Roedd Charles wrth ei fodd efo mwd hefyd, fel finna, ac fe dreuliodd y ddau ohonan ni oria'n chwilio am greaduriaid yn yr afon yn y cae. Mi roedd ein mamau ni'n dau wedi hen arfar ein cael ni'n dŵad adra yn fwd o'n corun i'n sodlau.

Mi faswn i'n licio i 'mhlant i hefyd gael y cyfle i chwara allan a chael hwyl yng nghanol byd natur, fel ro'n i wrth fy modd yn 'i neud. Dwi'n teimlo fod hynny'n llawar iachach i blant na bod yn sownd wrth sgrin deledu neu sgrin gyfrifiadur am oria maith. Mae rhywun yn medru dysgu cymaint am gylch natur ac amdano fo'i hun wrth fod allan yn sylwi. Ac mae byd natur yn gymaint o hwyl hefyd!

Dwi wedi bod yn gymeriad annibynnol erioed. Pan wahanodd Mam a Dad pan o'n i tua pedair ar ddeg, mi benderfynis i aros yn tŷ ni yn Gwelfor efo Dad, er i 'mrawd a'n chwaer fynd i fyw at Mam mewn tŷ arall yn y pentra. Mi symudodd Dad allan at Kate ei gariad wedyn pan o'n i'n un ar bymthag, a fanno mae o byth! Mi arhosis i ar fy mhen fy hun yn Gwelfor nes o'n i'n dair ar hugain. Roedd hynny'n siwtio fi'n iawn! Dwn 'im ydw i'r person hawsa i fyw efo fo, gan mod i'n reit benderfynol ac yn licio gneud petha fy ffordd fy hun. Ond wrth lwc, mae Jen a fi'n medru cyd-fyw yn grêt! Fe gewch chi wbod mwy am Jen yn nes 'mlaen.

Yr Ysgol a Fi

Clare a fi a'r goedan
Dolig yn yr 'ysgol bach'

Dysgu sgwennu ar
y bwrdd du

Ro'n i'n hapus iawn yn Ysgol Gynradd Rhosgadfan, ac yn ffrindia da efo'r plant i gyd, yr athawon a'r staff gofalu amsar cinio. Ond doedd gen i fawr o ddiddordab yn y gwersi yn amal, am nad oedd gen i fynadd i ista a gwrando! Ro'n i hefyd braidd yn siaradus – coeliwch neu beidio!

Roedd yn llawar gwell gen i fy nysgu fy hun, drwy fynd am dro a phrofi byd natur, a mynd ati wedyn i bori mewn llyfra i ffendio mwy o wybodaeth am be bynnag o'n i 'di weld. Mae llyfra'n medru agor cymaint o ddrysa i chi. Fy natur annibynnol i sy'n gyfrifol am hyn, mae'n siŵr. Ond byddwn bob amsar yn barod i ista i wrando ar stori, ac ro'n i wrth fy modd yn chwara efo clai. Mae gen i go' o droi fy nghôt tu chwith allan o hyd, a rhedag o gwmpas yr iard yn fflapian fy mreichia fel adenydd! Dwi'n cofio Mam yn cerddad efo ni i'r ysgol pan oedd hi'n bwrw, a chagŵl fawr blastig amdani, a James, Lilian a finna'n swatio o dan honno fatha cywion bach!

Dwi'n cofio deffro'n gynnar am gyfnod er mwyn sbio ar gwningan fach oedd yng nghae Tŷ Hen, tu ôl i'n tŷ ni. Mynd yn gynnar i'r ysgol wedyn at Anti Ann Thompson, oedd yn llnau'r ysgol ac yn agor y drws i bawb. Wrth i mi fynd yn hŷn, mi fyddwn i a'n ffrindia'n dŵad i'r ysgol yn gynt na phawb arall i gael mynd ar y cyfrifiadur. Mi fyddwn i'n aros ar ôl ar ddiwadd y dydd hefyd yn amal iawn, yn sgwrsio efo Anti Ann Thompson.

Fydda dim yn well gen i amsar egwyl na mynd o gwmpas yr iard fraich ym mraich efo un o'r athrawon, neu efo Anti Ann Johnson – Anti Ann arall oedd yn ddynas cinio ac yn edrach ar ôl y plant amsar egwyl.

Ro'n i'n ffrindia gora efo Mrs Esyllt Owen (Mrs Hession erbyn hyn), prifathrawes yr ysgol gynradd. Hi nath ddatblygu fy niddordab i mewn garddio ac mewn gweu! Mi fyddwn wrth fy modd yn cael mynd â phlanhigion adra i edrach ar eu hola nhw dros y gwylia. Ro'n i ar dân isio medru gweu, ac mi ges ddechra gneud hynny yn y dosbarth iau. Mi sgwennodd Mrs Hession ata i ar ôl i mi ddechra ar raglen *Byw yn yr Ardd*, a'm llongyfarch i ar neud yn dda. Dyna'r math o berson ydi hi.

Roedd mynd i 'Ysgol Dre' (Ysgol Uwchradd Syr Hugh Owen, Caernarfon) yn newid byd mawr i hogyn bach o bentra Rhosgadfan. Roedd byd y Cofis yn ddiarth iawn i mi. Mi gymrodd amsar i mi arfar, ond dyna 'nes i yn y diwadd a gneud lot o ffrindia.

Yn fan'no hefyd doedd gen i fawr o ddiddordab yn y gwersi! Dwi'm yn meddwl mod i'n barod i ddysgu bryd hynny, rwsut. Ro'n i'n licio dysgu am betha o'n i isio gwbod amdanyn nhw, ond fawr o ddiddordab mewn gorfod dysgu petha 'doedd gen i ddim diddordab ynddyn nhw. Mi fyddwn i'n pori drwy unrhyw lyfra ffeithiol am adar neu ar arddio ac ati. Dyna oedd yn mynd â'n sylw i, a dyna fo.

Roedd o'n gyfnod reit anodd i mi hefyd oherwydd fod Mam a Dad yn mynd drwy'r broses o wahanu. Ro'n i'n ei chael yn anodd delio efo'r syniad bo' ni ddim am fod yn un teulu bach o hynny 'mlaen. Doedd gen i ddim mynadd efo 'ngwaith ysgol. Mi adewis i'r ysgol, felly, heb fawr o gymwystera. Ro'n i'n gwbod mod i isio gweithio tu allan, o bosib efo anifeiliaid, neu'n garddio, ond doedd gen i ddim cynllunia pendant. Pwy fasa'n meddwl sut y bydda petha'n troi allan i mi? Cael ffrae am siarad fyddwn i yn yr ysgol erstalwm, ac mae o'n waith i mi erbyn hyn!

Fi yn fy ngwisg ysgol newydd sbon

Stydio'r pysgod yn Ysgol Syr Hugh

Ar fin gadal Syr Hugh

Russell y Bachgen

Mrs Esyllt Owen, y Groeslon, cyn-brifathrawes Ysgol Gynradd Rhosgadfan (Mrs Hession erbyn hyn)

Yn 1984 cafodd fy llygaid eu tynnu at un bachgen bach efo gwallt melyn (bron yn wyn) cyrliog oedd newydd ddechrau yn yr ysgol. Roedd ganddo lygaid direidus a gwyddwn yn syth fod yr hogyn bach yma yn gymeriad. Russell Jones oedd ei enw.

Doedd o ddim yn or-hoff o waith ysgol fel symiau ac yn y blaen. Crwydro o gwmpas oedd ei bethau, ac roedd o wrth ei fodd yn cael stori ac yn arbennig o hoff o wersi natur. Roedd o eisiau cael gafael ar bob llyfr natur a welai. Roedd ei wybodaeth yn eang iawn, am bob planhigyn, blodyn ac anifail.

Ar ôl iddo setlo, penderfynodd Russell nad oedd am eistedd gyda'r plant eraill. O na! Yn y ffrynt efo'r brifathrawes yr hoffai fod. Ac amser stori, byddai'n gosod ei gadair wrth ymyl f'un i, ac yn gafael yn fy mraich yn aml. A phan fyddwn ar ddyletswydd ar yr iard, byddai'n dod rownd yr iard fraich ym mraich efo fi.

Russ fyddai'r cyntaf i roi ei law i fyny amser gwyliau, yn gofyn a gâi o fynd â'r planhigion a'r blodau adref efo fo i'w dyfrhau. Byddech yn gweld gorymdaith o'r ysgol i dŷ Russ ar ddiwrnod olaf pob tymor, â phawb yn helpu i gario'r gwahanol botiau! Roedd o wastad yn cymryd gofal arbennig ohonynt, ac roeddent yn ffynnu dan ei law.

Gweu oedd fy hoff hobi i, ac roedd Russ yn sâl isio dysgu gweu. Roedd o wrth ei fodd pan ddechreuodd gael gwersi ac mi wnaeth sawl sgarff, cyn dechrau wedyn ar bethau mwy cymhleth fel sanau. Erbyn heddiw, mae gweu yn un

o'i hobïau yntau. Bydd y babi newydd yn lwcus iawn o ran ei ddillad, dwi'n siŵr!

Roedd Russ yn hoff iawn o'i deulu, a byddai Taid a Nain Tal-y-sarn yn dŵad i Rosgadfan bob dydd i edrych amdanynt. Roedd Taid Nebo yn arbenigwr ar wneud llwyau caru. Dwi'n cofio Russ yn dod ata i efo anrheg 'sbesial' i mi, medda fo. Agorais y papur, a dyna lle roedd llwy garu ddigon o ryfeddod. Roedd ei daid wedi ei gwneud yn arbennig i Russ ei rhoi i mi. Rydw i'n trysori'r llwy garu honno byth.

Nid oedd yn awyddus o gwbl i fynd ymlaen i'r ysgol fawr, Ysgol Syr Hugh Owen, yn un ar ddeg oed. Erbyn 1990 roeddwn i wedi ymddeol, ac yn arfer mynd i Dre ar y bws cyhoeddus a dal y bws ysgol adre'n ôl. Byddai'r bws yn stopio wrth Ysgol Syr Hugh i gyrchu plant yr ysgol uwchradd adre. Bob tro, clywn lais yn gweiddi'n uwch na phawb arall: 'Fi sy'n eistedd efo Mrs Owen, iawn?' cyn i Russ ddod i eistedd wrth f'ochr i, a siarad yn ddi-stop nes cyrraedd y pentref. Roedd o mor annwyl ag erioed.

Rydw i wrth fy modd yn ei weld ar y teledu ac yn gwneud mor dda.

Addysg

Yn amal iawn, mae plant yn dysgu am betha pell i ffwrdd sy ddim byd i neud efo'r ardal maen nhw'n cael eu magu ynddi.

Mae'n bwysig fod addysg yn dechra efo be sy wrth draed y plant, er mwyn iddyn nhw ddysgu gwerthfawrogi petha cyffredin yn gynta, ac wedyn gweithio 'mlaen. Wrth edrach ar ieir yn crafu, er enghraifft, mae rhywun yn dŵad i ddallt llawar iawn nid yn unig am ieir ond am gylch natur. Pam maen nhw'n crafu? Be maen nhw'n weld? Be mae hynny'n ddeud amdanyn nhw?

Ro'n i'n arfar crefu yn yr ysgol erstalwm am gael cychwyn gardd – rhwbath y byddwn i wedi cymryd diddordab ynddo fo – ond doedd neb isio gwbod yr adag honno. Erbyn hyn, mae'r ysgolion yn gofyn i mi fynd i mewn i roi help iddyn nhw gychwyn gardd fach i'r plant. Mae hynna'n beth gwych!

Pan mae iâr yn crafu, mae hi'n chwilio am rwbath i'w fwyta ac yn gweld be sy 'na wrth ei thraed. Ddylen ninna gofio hynna, a cheisio gneud yr un fath!

Neinia a Theidia

Dwi 'di bod yn lwcus iawn i fod wedi cael nabod 'y neinia a nheidia ar y ddwy ochr, ac mae gen i feddwl y byd ohonyn nhw i gyd. Yn anffodus, 'dan ni wedi colli Taid Tal-y-sarn a Nain Nebo erbyn hyn, ond mae gen i atgofion braf iawn o'r hwyl oeddan ni'n 'i gael.

Rhieni Dad ydi Nain a Taid Nebo (Violet a William Jones). Mae Taid Nebo yn anabl oherwydd iddo fo anafu'i goes yn yr Ail Ryfel Byd. Mae ganddo fo weithdy o dan y tŷ lle bydda fo'n gneud llwya caru. Ro'n i wrth fy modd yn mynd draw yno i edrach arno fo'n gweithio. Fel y gwelwch o'r llunia, mi gafodd sylw yn y papura newydd. Enillodd nifar o gystadlaetha drwy ogledd Cymru ac arddangos ei lwya gwych mewn gwahanol lefydd. Dwi'n siŵr fod y rhan fwya o gypla priod yr ardal wedi cael un o lwya caru Taid yn bresant, ac amball un o'r teulu brenhinol hefyd!

Gweu oedd Nain Nebo'n fwynhau, a finna wrth fy

James efo Taid a Nain Nebo

modd yn ei gwylio hi wrthi. Ella wir mai edrach ar Nain yn gweu nath godi blys arna inna i fod isio rhoi trei ar weu yn hwyrach 'mlaen yn yr ysgol! Sgowsar oedd Nain Nebo, ac roedd Lilian a finna'n arfar cael sbort yn dysgu 'Mi welais Jac y Do' a ballu iddi hi, a'i chlywad hi'n trio canu'r geiria Cymraeg! Hi ddysgodd ni i sgipio hefyd, dwi'n cofio, a hynny yn y tŷ, ddim tu allan. Mae'n syndod fod yr ornaments oedd yn hongian o'r to yn dal yn gyfa!

Mi roedd Taid a Nain Nebo hefyd wrth eu bodda efo'r ardd, a finna wrth fy modd yn cael mynd am dro at Lyn Mair i sbio ar y llyffantod pan o'n i'n hogyn bach.

Yet another suc… for lovespoon make…

A war pensioner from Gwynedd has won a national craft competitions with his lovespoons.

William Jones of Nebo, near Penygroes has won the Pomphrey Cup —one of the main prizes that is given annually to the winner of the Wales National Home Craft Competition for War Pensioners.

Mr Jones took three months to make the spoon, that will be on show at Rhos Abbey Hotel, Llandudno, next Thursday afternoon, (November 1), with other exhibits from the competition.

"I've been making love spoons for about twenty years," said Mr Jones. "I saw a photograph of one in a newspaper and decided to make one myself."

Since then Mr Jones has won numerous prizes through Britain - so many that he doesn't remember the exact number. As one of the competitors that came second in the British Home Art and Craft Competition this year, he was presented with a plaque for this special spoon.

"I make and sell spoons for people who are getting married," said Mr Jones who is keeping an old Welsh tradition on. "People are welcome to come and have a look at the spoons and buy one if they wish, but I don't sell to shops."

The exhibition at Llandudno will be opened officially by Sir Anthony Meyer.

MP at 2.30 pm who will be presenting the prizes and certificates to the successful craftsmen and women.

The Home Craft Competition was introduced for the first time in 1950 as part of the Welfare Service for War Pensioners.

William Jones with one of his lovespoons
Creating another spoon

Wedi gweu dilledyn i Bleddyn y babi!

Taid Nebo a'i lwya caru hardd

Taid a Nain Tal-y-sarn,
James a Lilian

Taid a Nain Tal-y-sarn,
Anti Nicola (chwaer
Mam) a finna'n fabi

Motobeics a cheir oedd petha Taid Tal-y-sarn (Ralph Jones), tad Mam. Roedd o'n gawr o ddyn mawr – dros ugain stôn – ac er ei fod o'n ddyn distaw iawn (fydda fo byth yn siarad rhyw lawar), roedd o'n goblyn o gymeriad ac yn un pryfoclyd! Fo oedd 'yn ffrind gora i pan o'n i'n hogyn, ac roedd yn gollad fawr iawn i'r teulu ar ôl iddo fo fynd. Dwi'n cofio un tro fi'n mynd efo Taid Tal-y-sarn yn y car i chwaral Bryncir, a hwnnw'n tynnu trelar oedd Taid wedi'i neud ei hun. Roedd y trelar yn dal tunnall ond roedd 'na dros dunnall o lwyth. Yna, a Taid yn mynd tua 50 milltir yr awr, dyma olwynion ffrynt y car yn codi oddi ar y lôn gan fod y pwysa i gyd ar y cefn. Be nath Taid ond shyfflan ymlaen yn y car er mwyn tynnu pwysa oddi ar y trelar!

Stori arall dwi'n 'i chofio ddudodd Taid wrtha i oedd amdano fo'n gneud ffrwydryn (bom!) bach ei hun er mwyn chwythu twll yn nhwll cloddio copr Nantlle, lle doedd 'na'm peryg i ddyn nac anifail. Dyma Taid yn lluchio'r bom i dwll ac yn deifio tu ôl i wal i wrando ar y ffrwydryn. A dyna ni, doedd neb ddim callach – neu dyna oeddan ni'n 'i feddwl. Ychydig fisoedd wedyn, dyma bennawd ar dudalen flaen y papur bro lleol *Lleu* yn gofyn 'Beth yw hwn?' O dan y pennawd, roedd llun o weddillion bom Taid. Roedd 'na hen ddyfalu be oedd y peth rhyfadd

'ma gafodd ei ddarganfod ar y mynydd, ac amball un yn meddwl mai ôl *meteorite* o'r gofod oedd o! Ond roedd Taid yn gwbod yn wahanol, doedd?

Dro arall, dyma fynd efo Mam a Nain a Taid Tal-y-sarn i Sioe Pwllheli. Roeddan ni'n mynd yn amal i'r gwahanol sioea o gwmpas yr ardal – Mam efo'i chacenna a ninna efo'r planhigion. Y tro arbennig yma, roedd cefn y car yn gwegian efo pob math o blanhigion, ac yn eu canol roedd cactus mawr Agave. Bob tro fydda'r car yn arafu, bydda'r cactus mawr yn llithro 'mlaen ac yn plannu'i biga miniog drwy'r sêt i mewn i gefn Taid, a Taid yn gwichian fel mochyn dros y lle. Glanna chwerthin oeddan ni i gyd, wrth gwrs – chwerthin nes ein bod ni'n wan! Welodd y cactus hwnnw fyth mo'r sioe, gan iddo gael cic ddiseremoni gan Taid cyn i ni gyrradd!

Mi fydda Nain Tal-y-sarn (Morfydd Jones), wedyn, yn reit amal yn cerddad pum milltir bob cam o Dal-y-sarn i Rosgadfan er mwyn cyrradd i'n nôl ni o'r ysgol. Dyna i chi dipyn o daith, 'de? Roedd hi'n cnoi tri phacad o gwm cnoi wrth gerddad, ac yn tynnu'r gwm allan o'i cheg yn union yr un fan yn y lôn bob tro a'i daflu i'r llawr. Erbyn hyn, mae'r tamad yna o'r lôn yn wyn i gyd, diolch i Nain Tal-y-sarn! Mae gen i go' ohoni hefyd yn colli'r daint ola oedd gynni hi mewn Bon Bon!

Fel y gwelwch chi, mae'r teidia a'r neinia ar y ddwy ochr wedi cael dylanwad mawr arna fi yn eu gwahanol ffyrdd, ac maen nhw'n dal i gael dylanwad ar fy mywyd bob dydd i heddiw.

Dwi'n cael cysur mawr o siarad efo pobol llawar hŷn na fi o hyd. Fydda i'n teimlo weithia mod i fel rhywun hen-ifanc! Does 'na'm byd gwell gen i na chael sgwrs efo hen bobol, a gwrando ar yr hanesion sy gynnyn nhw i ddeud. Mae gynnyn nhw gymaint o wybodaeth a straeon i'w rhannu, ac mi fydda i'n cael lot o hwyl a sbri efo nhw.

Russell y Mab

Wendy ei fam

Roedd Russ yn fabi bach *hyperactive* ofnadwy, a doedd o byth yn cysgu! Yr unig beth oedd yn cael Russ i gysgu oedd rhoi'r hwfyr ymlaen. Mi âi i gysgu'n syth efo hwnnw 'mlaen, ond fod o'n deffro'n syth pan oedd yn cael ei ddiffodd wedyn. Dwn 'im faint o hwfyrs aethon ni drwyddyn nhw!

Doedd ganddo fo ddim blewyn o wallt am yn hir iawn, ond wedyn fe ddaeth y gwallt cyrls melynwyn, del 'ma. Gan ei fod o'n fabi mor drwm, roedd o'n ara deg iawn yn dechra cerddad. Ond munud ddechreuodd o, dyna hi wedyn! Doedd o byth adra, byth yn y tŷ heblaw pan oedd hi'n dywydd rhy fawr i fynd allan. Roedd ganddo fo ddigonadd o ffrindia o gwmpas y pentra, yn hen ac ifanc. Roedd o'n ffrindia mawr efo hen wreigan o'r enw Eunice a'i mam. Roeddan nhw bob amsar yn ffeind efo fo. Roedd hi'n arfar galw Russ yn Oliver Twist am ei fod o mor debyg i Mark Lester oedd yn chwarae rhan Oliver yn y ffilm. Os oedd o ar goll neu ddim wedi dŵad adra ar

Y cyrls ciwt

Charles a Russ yn mynd i fflio barcud

Russ, James a Lilian ar ben Keith eu tad

amsar, roeddwn i'n gwbod ei fod o un ai yn nhŷ Charles neu yn nhŷ Eunice.

Roedd o wrth ei fodd efo anifeiliaid erioed. Dwi'n cofio fo'n cadw pryfaid pric mewn tanc pysgod yn ei stafall wely, ac mi fuo ganddo fo fochdew a gerbils a chwningen. Roedd o hefyd yn arfar cadw ieir yn y stafall wely tan iddo fo gael patsh lawr y lôn o'r tŷ pan oedd o yn ei arddega. Mi gafodd gadw ieir o ddifri pan oedd o tua pedair ar ddeg. Roedd o'n arfar cadw lot o anifeiliaid yn nhŷ Taid Nebo hefyd.

Adag hynny, feddylis i 'rioed 'sa Russell yn gneud beth mae o'n neud rŵan. Ond eto, roedd o'n gymeriad bach mor wahanol i blant eraill, mor ecsentrig. Ro'n i'n deud weithia 'sa fo'n gneud yn iawn ar y teli! Dwi'n cofio Mrs Owen, y brifathrawes, yn deud yr un peth. Ond dwi'm yn meddwl fod neb 'rioed yn meddwl 'sa fo'n gneud hynny go iawn.

Roedd Russ a fi wrth ein bodda'n mynd i wahanol sioea o gwmpas y lle: fi efo 'nghacenna, a Russell wedyn efo'i ieir a'i wya a'i blanhigion. Roedd o'n dipyn o arbenigwr efo'i Scotch Eggs ac yn ennill gwobra.

Erbyn hyn, wrth gwrs, mae Russell yn cymryd gofal mawr o'i ieir. Mae hi fel salon gwallt yn lle Russell a Jen adag sioe, efo'r ieir yn cael siampŵ a chael sychu eu plu efo sychwr gwallt. Mae o'n ffysi iawn!

Doedd gan James a Lilian ddim diddordab yn y sioea, dim ond mewn bwyta'r cynnyrch wedyn! Mae'r tri phlentyn yn wahanol iawn i'w gilydd. Lilian oedd y bòs o'r tri. Pan fydda James a Russell yn cwffio, Lilian fydda'n eu sortio nhw allan.

Lilian, James a Russ

Charles a Russ ac eraill

21

Russ a'i fasged o weu

Russ a'i welingtons!

Stiwardio'r wya yn Sioe Pwllheli

Mae Lilian yn nyrs erbyn hyn, ac wedi gneud yn dda. Mae hi'n rêl metron yn ei ffordd. Mae James, wedyn, wrth ei fodd yn gweithio efo'r syrcas fel acrobat. Mae 'na bobol sy'n ei weld o a Russ yn debyg o ran pryd a gwedd erbyn heddiw, ond dwi'm yn ei weld o fel mam iddyn nhw.

Pan oedd hi'n bwrw a'r plant yn methu mynd allan, ro'n i'n gadal iddyn nhw gael hwyl yn y tŷ, waeth befo am y llanast a'r baw! Yr hwyl mawr oedd i Russell a'r ddau arall neud sleid efo rhyw hen fatras a llithro i lawr y grisia dro ar ôl tro ar ôl tro. A dyna'r dens wedyn. Mi fydda'u ffrindia o'r pentra yn helpu hogia fi i neud dens o gwmpas y tŷ ym mhob man. Fyddwn i'n codi'n y bora ac yn gorfod mynd drwy'r den oedd dros y gwely ac allan drwy dwnnel wedyn! Mi fyddwn i'n gadael iddyn nhw fwynhau eu hunain. Wedi deud hynny, ro'n i'n falch o'u gweld nhw'n mynd yn ôl i'r ysgol, i mi gael trefn ar fy nhŷ o'r diwadd!

Dwi'n cofio gneud clogyn a hwd arni hi ar gyfar rhyw ddrama yn yr Ysgol Sul. Dyna hi wedyn, roedd Russell yn byw a bod yn y clogyn 'ma o gwmpas y pentra, yn chwara Batman a phob math o betha. Mi wisgodd honno tan oedd hi'n racs.

Mi fydda Russell yn mynd o gwmpas y pentra efo'i fasged o weu, hyd yn oed yn ei arddega. Mi roedd pawb yn gwbod mai un fel'na oedd Russ, ond mi roedd o'n medru sefyll i fyny drosto fo'i hun yn iawn os oedd raid.

Rydan ni'n reit debyg i'n gilydd – yr un ffordd bengalad! Mae Russ yn gorfod gorffan rhwbath mae o wedi'i ddechra'r diwrnod hwnnw, a dw inna 'run fath. Mae o 'run ffunud â 'nhad i, Taid Tal-y-sarn, yn ei edrychiad. Roedd y ddau wrth eu bodda'n gwisgo cap, mewn welingtons wedi'u torri, a golwg ofnadwy arnyn nhw! Mae yna chwith mawr ar ei ôl gan Russell a'r teulu i gyd.

Fi, Russell a Jen (heb anghofio Branwen yr ast fach, wrth gwrs!)

Y criw creadigol erstalwm: Russell, James, fi a Lilian

Mae Russell a fi wedi bod yn ffrindia mawr erioed, er bod ni'n ffraeo weithia gan 'yn bod ni mor debyg. Mae hi'n braf iawn ei fod o a Jen a'r bychan yn byw mor agos ata i a Meurig. Dim ond fyny lôn maen nhw, felly maen nhw'n gallu picio mewn ac allan. Dwi'n edrach ymlaen at weld Bleddyn yn tyfu fyny.

Dwi'n falch iawn o sut mae Russell wedi troi allan, rhaid i mi ddeud. Dio'm 'di newid dim. Russ 'di Russ.

23

Yr Iaith

Mae 'na ffyrdd traddodiadol o neud gwahanol betha yng Nghymru, o'r iaith i drin y tir, ac mae'n bwysig fod y petha yma'n cael cyfla i ffynnu heddiw hefyd. Mae hi'n ofnadwy o bwysig i ni ddal i siarad ein hiaith, i gadw'r petha traddodiadol sy'n ein gneud ni'n Gymry. Ein hiaith ni sy'n ein gneud ni'n wahanol i bawb arall, yndê? Munud mae'r person Cymraeg ola'n marw, dyna hi wedyn, mi fydd Cymru wedi mynd.

Mae'r iaith Gymraeg wedi bod yn bwysig i mi, ac wedi bod yn help i mi efo 'ngwaith. Dwi'n falch o neud fy rhan ac yn diolch mod i'n Gymro Cymraeg. Mae isio i fwy o bobol ddiarth ddallt personoliaeth ein gwlad ni, a gweld bod yr iaith yn rhan o hynny. Mi fedar yr iaith ddiflannu mewn cenhedlaeth os nad ydan ni'n ofalus. Gobeithio wir y bydd Bleddyn yn un Cymro bach arall i helpu'r achos!

Garddio

Os ydach chi'n dechra garddio am y tro cynta, peidiwch â chymryd gormod ymlaen. Mae'n well dechra fesul chydig bach, rhag i chi dorri'ch calon.

- Rhowch gynnig ar dyfu rhwbath anghyffredin.
- Peidiwch â bodloni ar gael bloda'n unig yn eich borderi. Rhowch lysia efo nhw – mae gan lawar iawn o'r rheiny ddail a bloda hardd iawn hefyd.
- Gwnewch eich compost eich hun. Mae'n hawdd ac yn dda i'r ardd.
- Rhannwch hada a *cuttings* hefo'ch cymdogion. O leia wedyn dach chi'n gwbod be dyfith yn eich ardal chi.

AR FY MOCS SEBON

Russell y Bachgen

Anti Perl Thomas

Roeddwn i'n arfer gweithio yn Ysgol Rhosgadfan, ac yn meddwl am Russ fel un annwyl iawn erioed. Dwi'n ei gofio fo'n gweu crafat a chap i mi fynd i'r caeau, er mwyn fy nghadw'n gynnes wrth fynd rownd y defaid, medda fo!

Dwi'n cofio'r hen blant yn tyfu blodau'r haul, ac roedd un Russell yn tyfu'n uwch ac yn well na blodyn pawb arall. Roedd o'n hogyn boneddigaidd a wastad yn gwenu – ac efo digon i'w ddeud, wrth gwrs!

Angela, mam Charles

Russell ydi'r hogyn neisia rioed. Dydi o 'di newid dim! Dwi'n ei gofio fo fel hogyn bach hawdd gneud efo fo. Roedd Charles fy mab ac yntau wastad allan yn chwarae'n brysur, ac yn dŵad adra'n fwd drostynt! Russell helpodd i adeiladu'r cwt 'mochel yn y cae ger Tŷ Hen. Roedd o bob amser yn brysur. Mae ganddo bersonoliaeth sgleiniog. 'What you see is what you get' efo Russell.

Anti Perl

Angela (mam Charles)

Charles a Russ yn dringo coed Tŷ Hen

Russell y Bachgen

Anti Ann Johnson

Gweithio yn yr ysgol amsar cinio oeddwn i. Mi fyddai Russ yn arfar licio cerddad o gwmpas yr iard efo fi fraich ym mraich, ac yn gofyn, 'Be 'sa chi'n licio i mi weu i chi?' Ymhen hir a hwyr mi fyddwn yn ei holi be oedd hanas y sgarff. 'Mae o'n llawn tylla, Anti Ann!' fydda fo'n ddeud. 'Fydd raid i mi ddechra eto a gneud un arall i chi!' Dwi'n dal i ddisgwyl y sgarff, ugain mlynedd yn ddiweddarach!

Dwi'n cofio'r gŵr yn codi cyw bach melyn oddi ar y lôn un tro – mae raid ei fod o wedi syrthio oddi ar gefn lorri. Roedd Sioned y ferch yn ffrindia efo Lilian, chwaer Russell, a dyma benderfynu mai Russell fasa'r un gora i edrych ar ôl yr hen gyw bach, a dyna ddigwyddodd. Mi enwodd Russell y cyw yn Paxo, ac mi fuodd fyw mewn drôr yn ei lofft a chael bywyd hir a hapus.

Russell ydi Russell, ac fel mae o ar y teledu y mae o wedi bod erioed.

Anti Ann Thompson

Roeddwn i'n arfer agor yr ysgol a llnau'r lle. Roedd Russell yno'n gynnar ac wrth fy nghwtyn i bob amser. Y cof sgen i ohono ydi ei fod o'n hogyn oedd bob amser yn chwarae allan, efo welingtons rhy fawr iddo fo.

Roedd o'n bryfoclyd hefyd. Roedd o'n gwybod yn iawn mod i ofn llyffantod. Un diwrnod dyma Russ a Clare yn dŵad â llond gwlad o wyau penbyliaid o'r afon i'r ysgol a'u rhoi yn y tanc pysgod. Dyma hi'n dŵad yn wyliau ysgol ac roedd yn rhaid i mi ddŵad i mewn i llnau tua diwedd y gwyliau. Dyma ddechrau arni a sylwi ar garreg yn y tanc pysgod oedd yn sgleinio fwy nag arfar. O edrych yn fwy manwl, dyma sylweddoli fod y garreg a'r tanc yn llawn o lyffantod bach! Mi ddychrynis i am fy mywyd! Dyma ffonio'r brifathrawes mewn panig. Bu raid i mi nôl Clare a Russ i gario'r hen lyffantod bach yn ôl i'r afon cyn i mi fedru cario 'mlaen efo 'ngwaith.

Pan oedd o dipyn yn hŷn, dwi'n cofio fi'n cynnig *poncho* i Russ, un oedd hogyn fy chwaer wedi dŵad yn ôl efo fo o Argentina. Roedd o wrth ei fodd efo hi. Dwi'n ei gofio'n ei gwisgo hi'n syth i fynd i'r clwb Mountain Rangers ar nos Sadwrn, a hithau'n ganol haf ac yn chwilboeth. Roedd pawb yn chwys doman dim ond yn edrych arno fo yn ei *poncho*, yn bloeddio canu caneuon Cymraeg ar dop ei lais!

Un ecsentrig ydi Russ ond mae o wedi bod yn hogyn hoffus ac annwyl erioed, a gwên ar ei wyneb bob amser.

Llnau

Mae 'na ffasiwn beth â llnau gormod. Dwi'n meddwl fod pobol heddiw yn tueddu i boeni gormod am gael petha'n berffaith lân, a hynny heb fod isio. Bydd pob un ohonan ni wedi bwyta o leia llond sach o faw cyn marw! Mae Jen yn cadw'n tŷ ni'n lân ac yn dwt, chwara teg, a dwi'm yn meindio 'bach o llnau fy hun, ond neith tipyn bach o olwg ddim drwg i neb. Mae 'na faw drwg a baw da, ac os ydi pobol yn cadw'u tai yn rhy *sterile*, dydi hynny ddim yn beth da o gwbwl. Mae chydig o faw yn adeiladu system imiwnedd rhywun, ac yn gneud rhywun yn iachach yn y pen draw.

Dwi'n meddwl weithia fod technoleg yn gweithio'n groes i sut mae pobol i fod i fyw, ac mae peirianna a chemega llnau ac ati yn enghraifft berffaith o hynna. Yn amal iawn mewn bywyd, dydi technoleg ddim yn datrys problem, dim ond yn creu un arall. Tasa pobol yn llnau efo brwsh a rhaw weithia, er enghraifft, yn lle defnyddio hwfyr bob tro, mi fasan nhw'n cael ymarfar corff ac yn arbad trydan!

Russell y Brawd Mawr

Lilian ei chwaer

Anifeiliaid ydi petha Russ 'di bod erioed – hynny a garddio. Mi aeth drwy ryw gyfnod pan oedd o'n stopio yn y siop anifeiliaid anwes yn Dre ac yn prynu bochdew a pryfaid pric a phob dim. Weithia pan fyddwn i'n tynnu dillad allan o'r drôr, fydda 'na anifeiliaid bach yno yn swatio, diolch i Russ! A phan fyddan ni'n agor y cwpwrdd tanc weithia, fe fydda 'na wya mewn inciwbator yno. Mi roedd Taid Nebo yn arfar licio garddio, a dwi'n cofio y bydda Russell yn mynd i'r tŷ gwydr at Taid i roi help llaw iddo fo.

Mae pawb wedi fy nabod i fel 'chwaer Russell' erioed, oherwydd ei fod o'n gymaint o gymeriad. Dwi 'di arfar efo hynny, felly tydi petha ddim yn wahanol iawn am ei fod o chydig yn fwy enwog erbyn hyn! Mae o wastad 'di cael lot o ffrindia, a pobol wastad wedi'i licio fo. Oherwydd hynny, ro'n i'n cael llonydd. 'Chwaer Russell ydi hi,' fydda pobol yn ddeud – 'mae *hi*'n iawn!' Roeddan ni'n arfar ffraeo, fel pob brawd a chwaer. Oherwydd mod i yn y canol rhwng y ddau, roedd yn rhaid i mi galedu at y peth. Ond fi oedd ffefryn Dad, ac roedd hynna'n help!

Dwi'n cofio cael fy nhwyllo gen Russ un Dolig. Ro'n i'n eitha cydwybodol ac isio gneud yn dda yn yr ysgol. Mi berswadiodd Russell fi y bydda cael cyfrifiadur rhyngddon ni Dolig yn help mawr i mi efo 'ngwaith cartra, ac mi ddefnyddiodd y ddadl honno er mwyn i ni gael y cyfrifiadur. Pan ddaeth bora Dolig, nid cyfrifiadur oedd o o gwbwl ond *games console* ar gyfar gêma'n unig!

Mae'n ffrindia fi yn Peterborough yn ei weld o braidd yn od fod gen i frawd sy wrth ei fodd yn gweu, ond dyna fo, 'te – pam lai?! Russ 'di Russ, a dio'm yn mynd i newid i neb. Mae Russell yn cario 'mlaen i neud be mae o 'di neud erioed, jest fod 'na gamera arno fo pan mae o wrthi ar *Byw yn yr Ardd*. Dwi'n falch ohono fo, ond 'Russell y brawd mawr' ydi o i mi o hyd!

Russ efo cranc go fawr

Fi, Lilian

Russ a fi yn yr ardd

Russ yn mynd â fi am dro

Russ a James yn fy mhriodas

Russell y Brawd Mawr

James ei frawd

Does dim ots gen Russell be mae neb yn feddwl ohono fo. Dio'm ots gynno fo os ydi o'n wahanol i bawb arall, ac yn hynny o beth 'dan ni'n reit debyg! Dwi'n meddwl fod 'na ormod o *clones* o gwmpas – pobol sy isio dilyn y dorf heb fod yn unigolion.

Poen oeddwn i i Russell pan oeddan ni'n iau. Wrth mod i bum mlynedd yn fengach na fo, roeddwn i'n ei ddilyn o gwmpas i bobman. Pan oeddwn i tua chwech oed, es i i sbecian ar Russell efo rhyw gariad yn Gwelfor. Dyma Russell yn fy ngweld i a gwylltio, a rhedag ar fy ôl i reit i ben draw'r stryd! Roedd yr hogan oedd efo fo wedi dychryn cymaint, dyma hi'n cydio mewn gwn slygs a saethu Russell yng nghefn ei goes!

Pan oedd Russell yn ei arddega y dechreuodd o o ddifri efo'r bloda a'r gweu. Dwi'n licio bloda fy hun hefyd erbyn hyn, ond ddim wedi cymryd at y gweu er mod i'n falch iawn o'r sana a'r hetia mae o'n neud i mi! Roedd ffrindia Russell yn licio chwara gêma cyfrifiadurol, ond mi symudodd Russ oddi wrth hynny a dechra garddio mwy ac ati. Mi fydda fo'n mynd o gwmpas y pentra efo'i fasgiad o weu, a doedd dim ots o gwbwl gynno fo.

Pan oeddwn i tua un deg chwech, dyma ni'n dechra closio'n ôl a dod yn fwy o ffrindia. Es i i fyw efo fo yn loj Plas Dinas yn y Bontnewydd, ac wedyn yn y tŷ ar y mynydd am tua wyth mis. Mi gawson ni amball ffrae yn fan'no, a finna'n cerdded 'nôl i lawr y mynydd at Mam, a'i adael o yno. Russ oedd yn coginio

James

fwya ond roedd o'n llosgi pob dim, ac roedd ei datws yn galad fel cerrig. Pan fydda fo'n gneud tân, fydda 'na fwy o fwg na dim arall yn y grât!

Dwi'n ei helpu fo efo'i waith garddio ac ati, ac mae o'n fy helpu fi weithia efo 'ngwaith efo Syrcas Syrcas yn Llanfairpwll. Mae o wedi gneud sioe bypeda i mi ddwywaith, yn ardal Llanelwedd. Os dwi'n ei helpu o, mae'n iawn iddo fo'n helpu fi, 'tydi? Un peth dwi'm yn licio amdano fo ydi 'i fod o'n licio gneud penderfyniad drostach chi – yn eich gwthio chi fel bo' chi'n gorfod cytuno. Ac mae o'n bengalad – yn benderfynol mai fo sy'n iawn o hyd. Dwi'm yn licio hynna! Wedi deud hynny, mae o'n hogyn ffeind iawn, a does ganddo fo ddim gelyn yn y byd. Mi neith o dad gwych, dwi'n siŵr. Mae ganddo fo gymaint o sgilia y medar o rannu efo'r bychan.

Dwi'n falch fod o'n gneud yn dda iddo fo'i hun rŵan. Mae o yn y job berffaith. A'r peth gora am y ffaith 'i fod o ar y teledu ydi y medri di roi *switch off* iddo fo pan ti isio! Ac mae hynny'n beth anodd iawn i'w neud i Russ mewn bywyd go iawn!

Y tri ohonon ni'n fach

Fi ac Anifeiliaid

Dwi wedi gwirioni efo anifeiliaid erioed. Er nad oedd gynnon ni fawr o le i gadw anifeiliaid pan o'n i'n blentyn, ro'n i'n arfar bod wrth fy modd efo pysgod, ac yn galw bob dydd yn y ddwy siop anifeiliaid anwes oedd yn Dre ar y ffordd adra o'r ysgol. Dwi'n cofio fel 'nes i safio fy mhres cinio er mwyn medru prynu fy mhysgodyn cynta. Roedd hwnnw'n ddiwrnod mawr! Mi 'nes i hynny sawl gwaith wedyn, a gofyn i Dad am fwy o bres cinio nag oedd raid er mwyn prynu mwy o bysgod! Ro'n i wrth fy modd wedyn yn edrych ar y pysgod a gweld sut oeddan nhw'n ymddwyn efo'i gilydd. Roedd gynnon ni danc pedair troedfadd erbyn y diwadd, a hwnnw'n llawn o bysgod. Mi fedrwn i ista am oria yn syllu arnyn nhw. Nhw oedd yr unig betha oedd yn fy nghadw fi'n llonydd, medda Mam!

Doedd gen i fawr o ddim byd i ddeud wrth gŵn pan o'n i'n iau, er bod gen i bedwar erbyn hyn. Roedd cathod i weld yn llawar mwy o hwyl i mi! Wiss-Wiss oedd y gynta. Mae gen i go' o Wiss-Wiss yn dringo coedan onnan anferthol ac yn methu dŵad i lawr! Yn y diwadd, dyma Dad yn mynd i nôl bag dal *crayons* Lilian ac yn dringo'r goedan. Dyma fo'n gwthio'r gath i mewn i'r bag *crayons* a dringo i lawr y goedan efo handlan y bag rhwng ei ddannadd. Pan gafodd Wiss-Wiss ei tharo lawr gen gar, mi ges i gath arall – o Chwilog – un ddu o'r enw Sgwt. Yna mi ges i Wiss. Mi farwodd hwnnw o *feline leukaemia*, y cradur. Mi fuodd Sgwt fyw am ddeunaw mlynadd.

Wedyn, dwi'n cofio gweld cwningan ar werth am bedair punt gan ffrind i lawr y lôn yn Sioe Glynllifon. Mi waris i 'mhedair punt ola arni; roedd yn *rhaid* i mi ei chael hi! Doedd gen i ddim cwt na dim byd iddi hi, felly roedd Bugsy'r gwningan yn byw yn y tŷ efo ni! Mi ges i gwningan o'r enw Pom-Pom ar ôl hynny, wedi i mi gael cwt.

32

Ennill cystadleuaeth 'Best Rare Breed' yn Sioe Nefyn

Cadw Ieir

Dwi'n cadw ieir ers pan o'n i tua deuddag oed. Gen i feddwl mawr ohonyn nhw.

Rhieni fy ffrind Charles ddechreuodd betha. Roedd tad Charles yn y fyddin, felly doeddan nhw ddim adra yn Tŷ Hen drwy'r amsar, ac mi benderfynodd y teulu gadw gwydda fel rhyw fath o *guard dogs* i amddiffyn y lle. Mi ofynnon nhw i mi fynd draw yno bob dydd i gadw golwg ar y gwydda, a gofalu'u bod yn cael eu bwydo ac ati. Ro'n i wrth fy modd! Mi ges i ddwy hwyaden fy hun wedyn, a'u henwa nhw oedd Elen a Cwac.

Ro'n i wedi arfar chwara tipyn efo ieir Taid Nebo hefyd pan o'n i'n fach, ac wrth fy modd yn trio dysgu'r ieir sut i nofio, a'r hwyaid sut i glwydo!

Un o'r adar fedra i mo'i anghofio ydi ceiliog ges i gynnig gan bobol o ffarm Talmignedd yn Nantlle. Pan es i draw yno, mi nabodis i'r brid yn syth fel Buff Orpington, sef brid pur. Ro'n i'n cael y ceiliog ar yr amod mod i'n cadw'i enw, sef John Hafod. Mi fuo John Hafod fyw yn hapus efo fi am flynyddoedd! Wedyn, un diwrnod, pan o'n i tua pedair ar ddeg oed, dyma ddyn caredig o Rosgadfan, Eric Post (pan oedd 'na swyddfa bost yma) yn fy ngalw i mewn ac yn nôl llyfr o'r cefn i mi. Hen lyfr – tua cant oed, mae'n siŵr – a'i deitl oedd *Wright's Book of Poultry*. Ro'n i wedi gwirioni efo'r llyfr, achos roedd pob brid posib o iâr ynddo a disgrifiad manwl o bob un. Mae'r llyfr gen i hyd heddiw.

Ar hyn o bryd, y brid Cochin (iâr o Asia) ydi fy ffefryn i, ac mae hwn yn fath reit brin. Does 'na'm llawar fel sy gen i o gwmpas. Maen nhw'n adar mawr efo lot o blu ar eu traed. Mae'r ieir o Asia wedi cael eu henwi ar ôl y porthladd maen nhw wedi cael eu hallforio ohono, fel y Shanghai Cochin a'r Yokohama. Ieir Cochin du sgen i fwya. Mi welis i lun y brid yn y llyfr *British Poultry Standards* y ces i ei fenthyg o'r llyfrgell, a meddwl ei fod o'n lwmp o dderyn del. 'Rheina dwi isio!' medda fi, a

Yr ieir a'r gwydda'n cael bywyd braf!

John Hafod sy ar y chwith

Fi a'r Cochin du

dyma fi'n dechra chwilio. Mae'r rhai du yn ddodwyr gwell na'r Cochin o liwia eraill, fel y Buff neu'r Partridge.

Wedi ffonio o gwmpas tipyn, dyma fi o'r diwadd yn cyfarfod y dyn yma yn Stafford – un o dde Cymru yn wreiddiol – oedd yn cynnig gwerthu tri deryn Cochin du i mi. Roedd o'n codi £25 y deryn. Traed pinc oedd gen un deryn, a rhai melyn gen y lleill, fel sy i fod. Tydi bridiwrs byth yn rhoi eu stwff gora i chi, beth bynnag – maen nhw'n cadw'u stwff gora iddyn nhw eu hunain. Ro'n i'n gwbod mai talu am y gwaed o'n i, ac y baswn i'n medru magu adar wedyn allan o'r rheiny. Mi fedris i fagu rhyw hannar cant o gywion o'r tri gwreiddiol.

Mi es i ati wedyn i werthu'r rhai traed pinc, a chadw'r rhai traed melyn. Roedd pob un Cochin oedd gen i wedyn efo traed melyn. Dwi wedi cael sawl gwobr am gystadlu efo'r Cochins. Ges i'r 'Best 2006 Hatch' yn sioe genedlaethol Stoneleigh, ac ennill wedyn yn Stoneleigh efo'r Pekin, y ceiliog gora allan o ugain o geiliogod eraill. Mi fydda i'n teithio o gwmpas yn eu dangos, ac mi fydda 'na giang ohonan ni'n arfar mynd mewn bws mini a'r cefn yn llawn o focsys ieir! Roeddan ni'n mynd cyn bellad â Stafford, a Perth yn yr Alban.

Mae gen i wydda yn yr ardd hefyd, ac mae Lucy Goosey, yr un ddiweddara, wedi tyfu'n fawr ers pan 'nes i ei magu hi o'r wy ddiwadd yr ha' diwetha. Mae hi'n cadw digon o sŵn o gwmpas yr ardd, ac yn licio busnesu i mewn i'r tŷ gan sbecian drwy'r ffenast isal sy gynnon ni yn y tu blaen.

Gen i lond gardd o
greaduriaid erbyn hyn

Isio Cadw Ieir?

Dyma amball bwynt i'w gofio!

● Gnewch chydig o ymchwil i ddechra. Mae dewis y brid iawn o iâr yr un fath â dewis y brid iawn o gi. Mae 'na frid o iâr i bawb, be bynnag ei sefyllfa. Mae'n bwysig ei fod yn siwtio'ch ffordd chi o fyw, neu traffarth gewch chi. Os ydach chi'n prynu'r Brown Warren am eu bod nhw'n rhad, er enghraifft, mi ddifethan eich gardd chi mewn dim o dro drwy grafu, oherwydd mai ieir ffarm ydyn nhw.

● Triwch fynd am rwbath pur. Mae pob deryn fyddwch chi'n 'i gael allan o dderyn pur yn mynd i fod yn werth rhwbath yn y pen draw wedyn. Does neb isio cael llond cae o ieir croes ar ei ddwylo, oherwydd fydd neb isio prynu'r rheiny.

● Mae Bantams yn rhai da i ddechra efo nhw. Dydi'r rheiny ddim yn cymryd lot o le, nac yn ddrud i'w cadw chwaith.

● Mae cael *run* yn syniad da os dach chi ddim adra drwy'r dydd. Gewch chi eu gadael nhw allan o'r cwt ac o'r *run* pan dach chi adra, a'u rhoi yn ôl i mewn pan dach chi ddim o gwmpas.

● Fel ninna, mae ieir angan 'pump y diwrnod', felly gwnewch yn siŵr eu bod nhw'n cael bwyd maethlon a gwair. Hynny neith sicrhau bod y melynwy bron iawn yn oren o ran ei liw.

● Dim ond be dach chi'n 'i roi i mewn iddyn nhw gewch chi allan o'r ieir. Ac mae ieir hapus yn dodwy'n dda, cofiwch!

Y Cŵn

Berwyn oedd y ci bach cynta fuo gen i. Wedyn mi ges i Seren, o Fron, drwy swopio chwech iâr Cochin amdani! (Dylanwad Gwynfa, mae raid!) Mae Seren yn frid Parson Jack Russell pur. Ar y pryd, ro'n i allan yn gweithio y rhan fwya o'r diwrnod, felly ro'n i'n teimlo'n euog am adael Seren fach ar ei phen ei hun yn y tŷ drwy'r dydd. Mi drefnis i fod Seren yn cael ci, ac ymhen dim roedd hi wedi cael saith o gŵn bach – dau gi a phump ast – wedi'u geni yn fy ngwely fi! Mi gadwis i Derwen i fod yn gwmpeini i Seren. Gan fod Derwen yn fyddar, fydda i'n arwyddo iddi er mwyn iddi ddallt be dwi'n ddeud.

Ond mae 'na drafferthion yn medru codi efo cŵn byddar, yn enwedig pan maen nhw'n cwna! Mi sylwis fod Derwen yn dechra diflannu am oria sawl gwaith mewn wythnos, a chan ei bod yn fyddar, fedrwn i mo'i galw hi adra. Wedi cymryd ffansi at ryw gi defaid oedd hi. Ymhen dim, roedd hi'n feichiog, a geni ar y soffa ddaru hi – dau gi a phedair ast tro 'ma. Mi gadwis i un ast, Gwen. Mae Mam wedi cadw un ast, Branwen, ac mae gen Dad un o'r cŵn, sef Llew.

Mae gynnon ni bedwar o gŵn erbyn hyn. Mi ddaeth Jen â chi labrador du o'r enw Bob efo hi yma. Erbyn hyn, mae Bob, Seren, Derwen a Gwen i gyd yn byw yn gytûn iawn efo'i gilydd – wel, y rhan rhan fwya o'r amsar! Dwi wrth fy modd yn edrach allan i'r ardd a gweld yr ieir a'r gwydda a'r cŵn i gyd.

Fi a Derwen

Byd Gwaith

Doedd byd ysgol a'r ffordd o ddysgu mewn ysgol uwchradd ddim yn fy siwtio fi, dwi'm yn meddwl. A finna'n un ar bymthag oed, ro'n i'n edrach ymlaen at gael cychwyn arni a chael gwaith go iawn. Dwi rioed wedi bod yn un sy'n licio bod yn segur a heb ddim byd i neud. Yn syth o'r ysgol, mi es i weithio ar ffarm Cae Main yn Waunfawr. Roedd Dad yn gweithio yno hefyd efo'i ffrind Dafydd M, yn weldio a ballu. Ro'n i'n rhoi help llaw iddo fo, a hefyd yn ei helpu i drin traed defaid gyda'r nos a'u dipio pan oedd angan.

Er mod i'n mwynhau'r math yma o waith, do'n i ddim yn gweld dyfodol i mi yno, felly mi es i 'mlaen i neud nifer o jobsys eraill. Mi wnes i hyd yn oed neud cwrs Media Studies yng Ngholeg Menai, ond doedd gen i ddim llawar o ddiddordab bod yn styc mewn dosbarth yn trafod ffilmia 'radag honno chwaith. Un joban wnes i fwynhau oedd cael cyfla i weithio i Jones Brothers Rhuthun yn Waunfawr yn clirio'r hen drac rheilffordd, ac wedyn efo WHLR yn gosod cledrau ar gyfer y trên bach yn Dinas. Ond mi ddaeth y gwaith hwnnw hefyd i ben yn y diwadd.

Mi ges i gyfla, drwy'r cynllun New Deal, i fynd ar leoliad i swyddfa Cyngor ar Bopeth. 'Nes i fwynhau fy hun yn fawr yn fan'no, gan fod cyfla i gyfarfod â phob math o bobol ddiddorol. 'Nes i ffrindia da efo dynas ffeind o'r enw Rhydwen Ellis. Wna i byth anghofio'i charedigrwydd hi tuag ata fi. Ro'n i'n arfar rhoi bywyd newydd i blanhigion digon llipa yr olwg yn y swyddfa honno, ac mi fydda'r staff yn gofyn i mi am gyngor am blanhigion. Swyddfa cyngor ar bopeth oedd hi wedi'r cwbwl, yndê?!

Yna fe gymerodd fy mywyd gwaith dro fydda'n altro petha am byth i mi. Dwi'n credu'n gry mewn rhagluniaeth – fod petha'n digwydd fel maen nhw i fod i ddigwydd.

Ar y pryd roedd Mam yn gweithio ym mhlasdy Plas Dinas yn y Bontnewydd. Ges i gyfla i fynd yno i weithio ati hi, a chael cynnig byw yn y loj yn dâl am y gwaith ro'n i'n neud yn y tŷ ac yn yr ardd. Mi fuos i'n byw dan y trefniant hwnnw am bum mlynadd i gyd, ac yn hapus iawn yno.

Ro'n i hefyd yn gneud chydig bach o waith ychwanegol fel swyddog diogelwch i'r BBC ym Mryn Meirion, Bangor. Shifft nos oedd gen i ran amla, ac roedd yr oria'n hir iawn. I arbad fy hun rhag syrthio i gysgu (a chael y sac am neud!), ro'n i'n arfer mynd â 'ngweu i mewn efo mi. Mi fyddwn i'n arfer gosod targed i mi fy hun, i weu hosan mewn un shifft wyth awr. Ar y pryd, roedd gen i steil gwallt

DySgu bod o flaen y camera

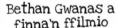

Bethan Gwanas a finna'n ffilmio

skinhead, a dwi'n siŵr mod i'n edrach yn greadur digon rhyfadd i staff y BBC! Erbyn i mi orffan y gwaith ym Mryn Meirion, roedd fy ngwallt i i lawr at fy sgwydda!

A finna wedi bod tua pedair blynadd ym Mhlas Dinas, dyma ddau ddyn hoyw yn prynu'r tŷ er mwyn cael priodi yno. Roedd cwmni teledu Cwmni Da yn gneud rhaglen deledu o'r enw *Wacky Weddings* amdanyn nhw, ac yn cyfweld pawb oedd yn gweithio i'r cwpwl, gan gynnwys fi, eu garddwr.

Roedd Nici Beech, un o'r cynhyrchwyr, yn priodi ym Mhlas Dinas ychydig wedyn. Fel ro'n i'n ei gwylio'n mynd i fyny'r dreif mewn trol a cheffyl, dyma Nici'n galw draw fod 'na ddynas o'r enw Non yn mynd i ddŵad i gael gair efo fi! Do'n i ddim yn dallt pam. Un o ymchwilwyr Cwmni Da oedd Non, ac mi ddaeth draw ata i i'r loj chydig ddiwrnoda wedyn a deud eu bod yn meddwl cynnig syniad i S4C ar gyfar cyfres newydd ar arddio, a tybad faswn i'n rhoi fy enw i lawr ar y cais i fod yn un o'r cyflwynwyr? Doedd dim raid iddi ofyn eilwaith. Mi gytunis i'n syth, er bo' fi ddim wir yn coelio y bydda 'na gyfla i rywun fel fi fod ar y teli!

Ymhen chydig fisoedd wedyn, dyma fi'n cael yr alwad ffôn yn deud fod S4C yn licio'r syniad am y rhaglen, a bod petha'n symud 'mlaen. A dyna sut ces i'r cyfla i ddechra 'ngyrfa efo *Byw yn yr Ardd*.

Dwi'n cofio'r diwrnod cynta o ffilmio yn iawn. Y peth cynta wnes i ffilmio oedd eitem ar randir yn stad fawr Maesgeirchen ym Mangor. Ro'n i a James fy mrawd wedi bod yn gneud cwrs 'Planhigion a Phobol' yn Treborth chydig fisoedd ynghynt, ac roedd 'na lot o bobol oedd ar y cwrs o gwmpas ar y bora hwnnw. Gan mod i braidd yn nerfus, roedd hi'n reit braf gwbod y byddwn i'n sgwrsio efo pobol ro'n i'n eu nabod.

Y sioc fwya ges i wrth berfformio i gamera oedd mod i'n derbyn y llinella ychydig funuda cyn i'r camera ddechra troi, a bod disgwyl i mi eu deud ar fy ngho' wedyn! Roedd hefyd angan dysgu trefn yr eitem ymlaen llaw, a gweithio allan be i'w ddeud. Ac ar ben hynny i gyd, roedd angan edrach yn naturiol. Waeth i mi fod yn onast ddim, mi gymrodd tua 30 *take* cyn i mi 'i gael o'n iawn, ac ro'n i'n dechra poeni na fyddwn i byth yn medru cofio pob dim!

Erbyn hyn mae petha'n llawar haws, wrth gwrs, wrth i mi ddechra dŵad i arfar. Mae'r criw ffilmio hefyd yn fy nhrystio fi rŵan. Maen nhw'n deud weithia: 'Dyma 'dan

ni isio i ti ddeud, ond dwêd o yn dy ffordd dy hun.' Mae'n bwysig mod i'n teimlo'n gyfforddus yn deud be dwi'n ddeud, yn enwedig gan fod amball un o'r de yn sgwennu pethau weithia fydda'n swnio'n hollol hurt yn dŵad allan o 'ngheg i.

Dwi wrth fy modd efo'r gwaith – dwi'n cael fy nhalu am siarad! Be fedra fod yn well i Russell Lee Jones siaradus o Rosgadfan?! A dwi ar fy hapusa'n gneud eitema lle dwi'n siarad efo gwahanol bobol ac yn trio'u helpu yn yr ardd. Dwi'n mwynhau pob eiliad o 'ngwaith yn gweithio efo criw mor hwyliog: o'r rhai tu ôl i'r camera, i'm cyd-gyflwynwyr Bethan a Sioned. Dwi 'di bod yn lwcus iawn.

Dwi'm yn meddwl bod yr enwogrwydd wedi fy newid i o gwbwl, er dwi'n dal yn ei gweld hi braidd yn od pan mae pobol ddiarth o wahanol lefydd yng Nghymru yn dŵad i fyny ata i a deud, 'Helô Russell!' Mae pawb yn ardal Rhosgadfan yn gwbod amdana i efo'n ieir ac efo 'ngarddio, ac wedi hen arfar dŵad i ofyn i mi am gyngor. Y gwahaniaeth rŵan ydi fod 'na lot o bobol o bob man yn gneud 'run fath!

Dwi'n hapus iawn i sgwennu llofnod i unrhyw un sy'n gofyn, a wastad yn fodlon stopio i gael sgwrs, wrth gwrs. Os dwi'n medru rhoi gwên ar wyneb rhywun wrth neud hynny, dyna sy'n bwysig.

Mae'n rhaid i mi ddeud mod i'n cadw'n brysur iawn wrth fynd i siarad efo gwahanol fudiada, yn enwedig Merched y Wawr! Mi fydda i a'r ceiliog a'r ieir yn gneud *star turn* efo'n gilydd yn gyson. Dwi'n estyn yr ieir o'r bocs, ac mi fyddan nhw'n sefyll yn ddel er mwyn i bawb gael eu gweld, ac yn mwynhau'r sylw! Mae 'na wastad amball un yn y gynulleidfa fydd yn meddwl fod 'na iâr wedi mynd i gysgu, ac yna fe ddaw'r creadur at 'i hun. Dwi'n cofio un o'r Yokohamas yn gneud hynny mewn noson Merched y Wawr yn ddiweddar. Mi hedfanodd oddi ar y bwrdd a glanio ar lin rhyw ddynas druan, a'i dychryn am ei bywyd! Roedd pawb arall yn rowlio chwerthin! Ydw, dwi wrth fy modd yn mynd allan i gyfarfod pobol a chael hwyl yn eu cwmni.

Dwi'n licio medru helpu pobol, a thynnu eu sylw at y budd a'r mwynhad fedran nhw'i gael o'r ardd. Os fydda i wedi llwyddo i neud hynny, mi fydda'i'n fodlon. Dwi'n trio codi proffeil Rhosgadfan hefyd, ac mae pobol y pentra'n falch o hynny, dwi'n meddwl. Maen nhw wastad wedi meddwl amdana i fel 'Russell sy'n licio garddio'. Drwy *Byw yn yr Ardd*, mae 'na fwy o bobol wedi dŵad i wbod amdana i ac am Rosgadfan rŵan, dyna'r cwbwl.

Mae 'na dipyn o gynigion gwaith wedi dŵad yn sgil y rhaglen. Dwi wedi cytuno i roi help llaw i'r gyfres BBC Wales *Snowdonia Farmhouse*, yn cynllunio a chreu'r ardd lysia a gneud y ffens wiail o gwmpas yr ardd ym mwthyn Tal y Braich yn Rhosgadfan, i neud iddo edrach fel yr oedd yn 1890. Dwi hefyd yn mynd i fod yn mynd ar amball daith o gwmpas gerddi diddorol efo cwmni bysys Seren Arian, Caernarfon. Dwi'n edrach ymlaen yn arw iawn.

Felly, mae fy mywyd gwaith yn hapus ac yn brysur iawn ar hyn o bryd, a dwi'n gobeithio medru cario 'mlaen i greu rhwbath positif drwy ddysgu plant ac oedolion am y gwerth a'r hwyl sy i'w gael wrth arddio.

Jen a Fi

Ro'n i 'di bod ar fy mhen fy hun am gyfnod hir, a ddim wedi canlyn yn selog iawn efo neb. Roedd fy ffrindia fi'n arfar tynnu 'nghoes i na fydda 'na neb i mi, achos mod i mor wahanol i bawb arall – does 'na'm llawar o bobol rownd ffor'ma sy'n licio 'run petha â fi ac yn meddwl 'run ffordd â fi am y byd. Ro'n i wedi dechra meddwl ella bod fy ffrindia i'n iawn, er bod o'm yn poeni rhyw lawar arna fi chwaith. Tan i Jen ddŵad i mewn i 'mywyd i.

Mae'r stori am sut ddaethon ni at ein gilydd yn anghyffredin a deud y lleia, ond ella fod hynna'n siwtio'r math o bobol ydan ni mewn gwirionedd. Roedd Jen wedi bod yn byw yn yr Alban am flynyddoedd, ac wedi dŵad yn ôl i Gymru i fyw. Digwydd edrych ar S4C oedd hi, a 'ngweld i ar *Byw yn yr Ardd* a chymryd dipyn o ffansi ata fi, mae raid! Mi benderfynodd sgwennu ata fi yn deud gair bach amdani'i hun wedyn, a'i yrru i Cwmni Da yng Nghaernarfon.

Y peth cynta glywis i am y peth oedd pan ffoniodd Carys, un o ymchwilwyr y rhaglen, yn deud fod 'na ryw lythyr wedi dŵad i mi. Doedd gen i ddim amsar i fynd draw yna i'w nôl o, felly dyma fi'n deud wrth Carys am agor y llythyr a'i ddarllan o allan dros y ffôn.

Mi aeth petha'n ddistaw ben arall y ffôn, dwi'n cofio, tra oedd Carys wrthi'n darllan y llythyr iddi hi ei hun. Wedyn dyma hi'n dechra deud, 'O! Ow! Russell!'

'Wel be?' medda finna.

'Ow, Russell!' medda Carys wedyn, a finna'n methu dallt pam oedd hi'n gneud y ffasiwn ffys.

Mi wrthododd ddarllan y llythyr i mi dros y ffôn, a deud fod yn rhaid i mi ei ddarllan o drosta fi fy hun. Mi a'th Mam draw i bigo'r llythyr i fyny ar ei ffordd i neud negas y diwrnod wedyn, ac erbyn i mi gael y llythyr yn fy llaw, roedd y teulu i gyd yn gwbod fod yna rhyw hogan o Sir Fôn wedi rhoi rhif ffôn i mi ac isio i mi gysylltu.

Do'n i'm yn gwbod be i neud! Roedd Jen 'di rhoi dipyn bach o'i hanas – be oedd hi 'di bod yn neud a lle oedd hi 'di bod a ballu – ac roedd hi'n swnio'n hogan ddiddorol iawn! Mi a'th James fy mrawd wedyn ar y Gweplyfr (Facebook) i weld a oedd hi yno i mi gael gweld llun ohoni. Ac ro'n i'n hapus iawn efo'r canlyniad ar hwnnw! Ond do'n i'n dal ddim yn siŵr be i neud. Beth bynnag, mi benderfynis yrru tecst ati, a'i gwahodd hi draw i Dan Foel, lle ro'n i'n arfar byw, i gael pryd o fwyd. A dyna ddigwyddodd. Pasta efo saws tomato oedd o, os dwi'n cofio'n iawn, ac mae raid fod o 'di bod yn ddigon neis iddi ddŵad yn ôl am fwy!

Gwpwl o ddiwrnodia wedyn, dyma ni'n cyfarfod eto mewn sioe ieir ar safle Sioe Mona – a dyna ni! 'Mhen mis, roedd hi wedi symud i fyw ata i a'n anifeiliad yn Tan Foel! Roedd y ddau ohonan ni'n dod 'mlaen o'r cychwyn cynta. 'Dan ni fatha 'sa ni 'di nabod ein gilydd erioed, rwsut, ac isio'r un petha allan o fywyd. Mi oedd 'na amball un yn deud ein bod wedi dod at ein gilydd yn llawar rhy sydyn, ond pan dach chi'n gwbod fod petha'n iawn, dyna fo, 'te?

Mae'r ddau ohonan ni wedi bod drwy gyfnoda reit anodd yn ein bywyda, fel y rhan fwya o bobol, a 'dan ni'n hapus iawn ac yn caru'n gilydd ac isio creu rhwbath da ar gyfar y dyfodol. Y 'peth da' hwnnw yn ein hachos ni ar hyn o bryd ydi'r babi bach, Bleddyn, sy newydd ddŵad i'r byd.

Dwi'n edrach ymlaen at gael cyflwyno Bleddyn bach i fyd natur a byd anifeiliaid, ac wedyn mae o i fyny iddo fo os ydi o isio dilyn ôl troed ei dad neu beidio. A dwi'n gobeithio y medrwn ni gael llond cae o blant! Mi briododd Jen a fi ddiwadd mis Chwefror i selio'r fargian. Ac mae'n dda gen i ddeud fod Mr a Mrs Jones a Bleddyn Cadfan Jones bach yn fodlon iawn ein byd!

Gwallt a Blew

Dwi'n meddwl fod gwallt yn rhwbath arbennig iawn, a tydan ni ddim yn gneud digon ohono fo. Mae anifeiliaid yn tyfu cyrn i ddangos eu statws, ond gwallt a blew ydi'r unig betha sy gynnon ni, oherwydd fedran ni ddim tyfu cyrn! Yr un syniad ydi o â chrib ceiliog.

Dwi'n dechra tyfu barf pan mae'r clocia'n mynd yn ôl ar ddechra'r gaea. Dyna ydi fy mhlu gaeafol i, os leciwch chi, fy *winter plumage*. Mae hi'n medru mynd mor oer i fyny'n fan'ma yn y gaea, mae'n bechod wastio rhodd natur i gadw'n gynnas! Mi fydd y barf yn dod i ffwrdd pan fydd y clocia'n cael eu troi 'mlaen yn y gwanwyn.

Wrth dyfu'i wallt yn hir, mae rhywun yn cael arwydd o raen y lliw naturiol yn y gwallt – yn gweld y manylion a'r amrywiaeth lliw ynddo fo. Dwi'n bwriadu tyfu 'ngwallt mor hir ag y medra i am weddill fy oes. Ar ôl i mi fynd, wedyn, mi liciwn i adael 'y ngwallt i 'nheulu fel *heirloom*. Cael ei blethu, ella, a'i roi i hongian ar y wal, neu ei roi fel bordor o gwmpas stafall os fydd o'n ddigon hir! Mi fydd yn rhwbath i'r plant, a phlant eu plant, i gofio am eu taid a'u hen daid, Russell Jones!

G.M
GENETIC MODIFICATION

Mae addasu cnyda ac anifeiliaid drwy altro genynnol wedi cael enw drwg. Mae'r papura newydd yn amal yn rhoi sgiw ar y peth trwy awgrymu fod hyn fel troi anifeiliaid yn *freaks* a'u gadael i redag yn wyllt yn y caea. Mae isio bod yn ofalus, wrth gwrs, ond yn y bôn mae llawar iawn o'r newidiada er lles, ac yn fatar o fridio. Mae 'na lawar o'r hen fatha o datws, er enghraifft, sy'n methu tyfu'n iawn heb ryw fath o gymorth. Dydyn nhw ddim yn gallu gwrthsefyll *blight*, ac mae 'na lot o waith tendiad arnyn nhw a rhoi plaladdwr ac ati arnyn nhw.

Mae natur isio byw, ac mae'n naturiol mai'r cryfa sy'n mynd i fyw ym myd natur. Dwi'm yn meddwl fod datblygu cnwd neu anifeiliaid cryfach yn beth drwg o gwbwl! Erbyn hyn, maen nhw'n dechra datblygu matha o datws sy ddim angan cymaint o waith, ac felly, wrth gwrs, yn rhatach i'w cynhyrchu hefyd. Enghraifft arall ydi sut mae mochyn wedi'i fagu'n bwrpasol fel bod 'na lai o flew arno fo na'r mochyn gwyllt, blewog. Mae llai o flew yn golygu ei bod hi'n haws trin y carcas ar gyfar y farchnad fwyd. Datblygiad er lles ydi hyn yn y pen draw. Dwi'n meddwl mai dyma'r ffordd ymlaen. Addasu genynnol ydi o, ond mewn ffordd dderbyniol.

Ochor arall y geiniog ydi fod 'na rai ieir, er enghraifft, sy'n cael eu datblygu heb blu ar gyfar y farchnad gwledydd poeth. Mae angan cadw ieir pluog rhag mynd yn rhy boeth. Mae hynny'n ddrud hefyd, sy'n golygu fod pobol leol gyffredin ddim yn medru cadw ieir – a dydi o'n gneud dim lles i'r amgylchedd o ran defnydd o egni.

Mae angan edrach ar y ddwy ochr. Does dim isio diystyru cnyda ac anifeiliaid GM yn rhy handi!

Russell y Cymar

Jen ei wraig

O Lanfechell, Sir Fôn, dwi'n dŵad yn wreiddiol, ond ro'n i wedi bod yn byw yn yr Alban ers wyth mlynedd. Gwyddonydd ydw i, ac ro'n i newydd ddŵad yn ôl i fyw i ogledd Cymru, i weithio i gwmni yn Llanberis.

Un diwrnod ro'n i'n edrych ar ryw raglen arddio ar S4C pan welis i'r boi gwallt hir golygus yma wrthi'n cyflwyno'r rhaglen. Dwi'n cofio meddwl mod i'n falch mod i wedi dŵad yn ôl i Gymru i fyw! Mi edrychis i ar flog *Byw yn yr Ardd* a darllen pwt amdano, a phenderfynu mod i isio gwybod mwy!

Dwn 'im beth ddaeth dros fy mhen i i sgwennu llythyr at Russell drwy S4C, yn sôn amdana fi fy hun ac yn cynnig ein bod yn cyfarfod. Dwi 'rioed 'di gneud y ffasiwn beth o'r blaen! Ond 'nes i ddim meddwl llawer am y llythyr ar ôl ei anfon, i ddeud y gwir. 'Nes i 'rioed feddwl y bydda unrhyw beth yn dod ohono fo go iawn.

Wrthi'n dringo wal mewn canolfan ddringo yn Waunfawr efo'n chwaer oeddwn i pan ges i'r neges destun gen Russell. Tua adeg Dolig 2008 oedd hi. Atebis i mohono fo'n syth, wrth gwrs; roedd rhaid i'r neges ddisgwyl tan i mi gael fy nhraed yn ôl ar y ddaear! Ro'n i'n methu coelio'r peth! Cynnig oedd o i mi fynd draw yno i'w dŷ yn Rhosgadfan am bryd o fwyd.

Wel, dyma yrru neges yn ôl a mynd draw i'w dŷ o am y pryd bwyd. Pasta a saws tomato oedd y pryd, a neis iawn oedd o hefyd. Mi es i draw yno wedyn i gyfarfod ei ffrindiau a dathlu'i ben-blwydd. Ymhen rhyw fis neu ddau, roedd y ddau ohonan ni 'di penderfynu symud i mewn efo'n gilydd.

Yn y bwthyn roedd Russ yn ei rentu ar y mynydd ger Rhosgadfan roeddan ni i ddechrau. Wedyn fe symudon ni i lawr i'r pentra tra oedd tŷ roeddan ni wedi'i brynu ar ochr y mynydd yn cael ei neud i fyny. I Gwelfor, hen gartre Russ, yr aethon ni dros dro, ac roedd hwnnw hefyd yn cael ei atgyweirio ar y pryd. Doedd 'na'm dŵr poeth na gwres na dim yno. Roedd hynny'n dipyn o brofiad!

'Dan ni'n dod 'mlaen
yn dda iawn

'Dan ni wedi setlo i mewn i'r bwthyn uwchben Rhosgadfan erbyn hyn, a dyma lle fyddwn ni'n magu'r bychan. Mae 'na ddigon o dir i gadw Russell yn hapus, a golygfa fendigedig o Sir Fôn hefyd. Perffaith!

Os ydi petha'n iawn, does 'na'm pwynt wastio amser, nagoes? Ella tasan ni 'di cyfarfod pan oeddan ni'n iau, fasa ni ddim 'di licio'n gilydd o gwbwl, pwy a ŵyr. Mae rhai petha i fod i ddigwydd mewn ffordd arbennig, dwi'n meddwl. Mae hi wedi cymryd tan rŵan i Russ a fi dyfu fyny a chael profiadau er mwyn cyrraedd lle rydan ni ar hyn o bryd, a bod yn barod i gyfarfod â'n gilydd a setlo lawr!

Be dwi'n licio am Russ? Y pacej i gyd, i ddeud y gwir. Rydan ni isio'r un math o betha allan o fywyd, mae hynna'n un peth. Dwi'm yn deud nad oes 'na ambell i beth sy'n mynd dan fy nghroen i weithiau, fel ym mhob perthynas. Aderyn y nos ydi Russ ac mae o'n hoff iawn iawn o'i wely yn y bora, tra fydda i'n licio codi'n reit gynnar a dechrau arni!

Mae Russ hefyd yn licio siarad ac yn licio cael ei ffordd ei hun. Mae o'n gallu bod yn reit styfnig, ac yn benderfynol weithiau mai ei ffordd o – a neb arall – sy'n iawn! Rhaid i mi gyfadde 'i fod o'n cael ei brofi'n iawn yn aml hefyd.

Ond 'dan ni'n dod 'mlaen yn dda iawn yn gyffredinol, ac efo'r un agwedd tuag at fywyd. Mae mam Russell, Wendy, yn byw lawr y lôn oddi wrthan ni yn Rhosgadfan, a 'dan ni'n dwy yn dod 'mlaen yn dda iawn efo'n gilydd, fel efo'i frawd James a'i chwaer Lilian.

Mae bywyd yn braf, ac mae'r ddau ohonan ni'n edrych ymlaen yn arw at y bennod nesa yn ein bywyda efo Bleddyn.

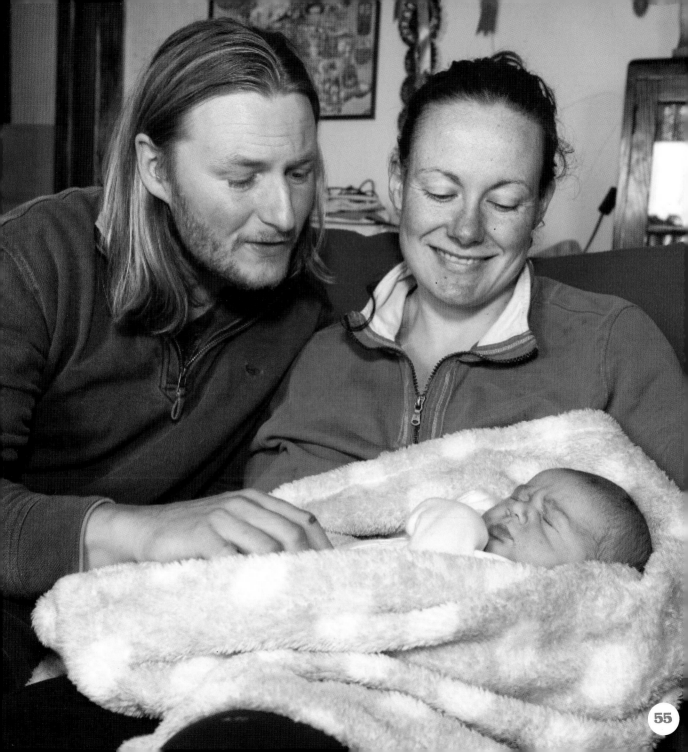

Byw yn Wyrdd

Mae'r gwastraff sy mewn cymdeithas heddiw yn fy ngneud i'n flin! Mae pobol yn meddwl eu bod yn chwara'u rhan yn amddiffyn y blaned wrth roi eu binia ailgylchu allan unwaith yr wythnos, ac eto maen nhw'n dal i luchio petha da iawn i mewn i lefydd *landfill*, ac yn dal i brynu bwyd wedi'i becynnu'n drwm o'r archfarchnad. Dwi'n meddwl y dyla'r llywodraeth helpu pobol i fyw yn wyrdd, a chosbi'r cwmnïa mawr yma os ydyn nhw'n cynhyrchu gormod o blastig ac ati wrth

Lle braf i wthio berfa!
Cychwyn ar y patsh newydd

bacio bwydydd. Mae'n rhaid taro'r bocad weithia er mwyn cyrradd y nod.

Dwi'n gredwr cry mewn ailgylchu. Yn ogystal â binia ailgylchu, mae gen i hefyd fin compost yn yr ardd. Mae hwnnw fel bol mawr sy'n llyncu be bynnag sy'n wastraff gynnon ni, a'i droi yn bridd da. Os 'dan ni'm yn ei fwyta fo, mae'r cŵn yn ei fwyta fo. Os 'di'r cŵn ddim yn ei fwyta fo, mae o'n mynd i'r ieir. Ac os 'di'r rheiny ddim isio fo, mae o'n mynd i'r bin compost.

Dail sy'n creu pridd. Mae'r gerddi yn edrach ymlaen at dymor yr hydre bob blwyddyn, gan mai'r dail sy'n faeth iddyn nhw. Ond mae pobol yn amal iawn yn rhy brysur yn clirio'r dail o'r ffordd i sylweddoli hynny, ac mae'r ardd yn mynd yn anial tra maen nhw'n mynd draw i'r Ganolfan Arddio i brynu gwrtaith. Tydi hynny'n gneud dim synnwyr o gwbwl! Rhodd natur ydi dail. Drwy daenu'r dail ar y planhigion, mae'r maeth i gyd yn mynd i mewn i'r tir ar gyfar y tro nesa. Rhowch y dail yn y compost a buan y daw'r malwod a'r pryfaid genwair a'r gwlithod i greu pridd newydd. Ac mae baw malwod yn llawn maeth. Mae creu compost yn arbennig o hawdd i'w neud. Rhowch drei arni!

Fydda i'n ailgylchu pob dim fedra i. Roedd gynnon ni hen garafán pan symudon ni yma i ddechra. Chwalwyd honno a dwi wedi defnyddio pob tamad ohoni. Dwi wedi cadw'r *hinges* ac wedi defnyddio tipyn go lew o'r coed ar y feranda. Ddefnyddis i ranna i neud cwt ieir. Aeth peth o'r aliwminiwm fel sgrap, ac mi nath gweddill y coed goed tân gwych. Fuo dim raid i mi ddefnyddio 'run lwmpyn o lo y gaea diwetha.

Dydw i ddim yn dreifio, felly mae fy ôl troed carbon i'n fach. Does dim rhaid prynu pob dim yn newydd sbon,

nagoes? Mae gan lawar o bobol y dyddia yma obsesiwn efo geriach a phrynu petha newydd. Dwi wrth fy modd yn prynu mewn siopa elusen, ac mae un o'n hoff eitema i o ddillad – côt groen dafad – wedi dŵad o siop elusen. Mae honno'n wych!

Fel dach chi'n gwbod, dwi'n licio gweu ers pan o'n i'n hogyn bach. Ro'n i'n arfar mynd i sioea crefft yn Neuadd Rhosgadfan, pan oedd hi'n bod, a nyddu gwlân gan ddefnyddio rhyw declyn o'n i 'di greu allan o hen recordydd tâp. Roedd yr olwynion bach troi tâp yn berffaith ar gyfar nyddu gwlân hefyd!

Dwi'n dal i nyddu'r gwlân fy hun heddiw, ond dwi wedi prynu troell nyddu newydd sbon yn ddiweddar. Mae'r droell yn un ddel ofnadwy ac yn cymryd ei lle'n dwt yn nghornal y stafall fyw.

Dwi'n cael y gwlân o'r defaid sy o gwmpas yma, neu'n prynu gwlân defaid mewn gwahanol liwia, ac yn defnyddio gwlân Alpaca hefyd. Capia a sgarffia a sana ydi'r ffefrynna. Dwi hefyd yn gneud petha i James 'y mrawd, ac mae o wedi gwisgo'r dillada hynny'n dwll. Ac, wrth gwrs, dwi wedi gweu siwmper a chap i Bleddyn Cadfan Jones y babi!

Mae'n rhaid i ni i gyd gofio fod amball beth yn mynd i ddiflannu. Mae'n bwysig ein bod ni i gyd yn datblygu'r sgilia i edrach ar ôl ein hunain, fel roedd yr hen bobol erstalwm yn 'i neud, a pheidio bod yn orddibynnol ar betha all ddarfod. Mae'r hen arferion yn dŵad yn eu hola mewn cylch, dwi'n meddwl.

Os ydi un person yn byw yn wyrdd, yna mae hynny'n gneud gwahaniaeth mawr. Mae o'n helpu fo'i hun a'i gydwybod, ac yn helpu'r blaned yr un pryd. Rydan ni i gyd yn rhan o ddarlun llawar mwy, yn tydan? Bechod na fasan ni i gyd yn trio gneud ein rhan.

Ceir

Dydw i ddim yn gyrru fy hun. Jen sy'n gneud y dreifio yn tŷ ni. Taswn i'n dreifio, faswn i byth adra; faswn i allan yn gneud rhwbath i rywun o hyd! Felly, 'sna'm brys i mi ddysgu dreifio, er bod 'na lawar o bobol yn methu'n glir â dallt peth felly. Dwi'n gweld fod rhaid i bobol gael car os ydyn nhw'n byw yng nghanol y wlad, neu hannar ffordd i fyny mynydd fel 'dan ni yn Rhosgadfan, ond dwi'n gneud yn iawn heb ddreifio.

Mae gan bobol dyddia yma obsesiwn efo'u ceir. Fedra i ddim dallt y bobol yma sy'n codi ar fora dydd Sul ac yn treulio hannar y diwrnod yn llnau'r car nes ei fod o'n sgleinio, yn hytrach na mynd allan i'r ardd.

Y car ydi pob dim i rai pobol, ac mae statws rhywun yn dibynnu ar y math o gar sy gynnoch chi. Mae bywyd yn fwy na hynny, debyg! Mae peryg i bobol heddiw fynd yn orddibynnol ar betrol ac olew a diesel ac ati, a chael eu dal wedyn pan mae'r petha yma'n rhedeg allan. Tasan ni'n dreifio llai ac yn cerddad mwy, mi fasa ni'n iachach ac yn gneud mwy o les i'r blaned!

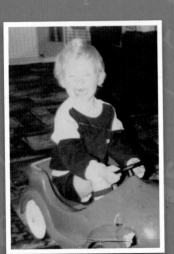

Yr unig gar fuo gen i rioed!

58

Crefydd

Er mod i'n arfar mynd i'r capal pan o'n i'n blentyn, mynd yno er mwyn y canu o'n i ac nid am mod i'n credu mewn unrhyw beth mwy. Pan fyddwn i'n sbio i fyny, y sîling fyddwn i'n weld. Rŵan, dwi'n sbio i lawr ac yn gweld rhyfeddod natur.

Dwi'm yn credu mewn nefoedd yn y ffordd mae'n cael ei chyfleu yn y Beibl. Y Ddaear a byd natur ydi be dwi'n gredu ynddyn nhw. All neb wadu natur. Natur sy wedi creu'r ddaear, yn fy meddwl i, a rhan o gylch natur ydan ni i gyd. Dwi'n teimlo fod gen i gyswllt mawr efo hen grefydd y Cymry, sef paganiaeth, oedd yn addoli'r Ddaear.

Mi ddylen ni barchu'r ffaith mai cael benthyg y Ddaear ydan ni. Does gynnon ni ddim hawl arni hi. O'r Ddaear 'dan ni i gyd wedi dŵad, ac yn ôl i'r Ddaear y byddwn ni i gyd yn mynd. I mi, natur ddyla gael y clod am bob dim sy gynnon ni, ac addoli natur fydda i yn fy mywyd bob dydd, yn hytrach nag unrhyw beth arall.

AR FY MOCS SEBON

59

Y Dyfodol

A dyna ni. Dyma chi wedi cael cip bach ar fywyd Russell
Jones, y garddwr gwallt-hir o Rosgadfan! Mae'r flwyddyn
ddiwetha yma wedi bod yn un arbennig o dda i mi: tŷ
newydd, gwraig a babi newydd! Mae'r gwaith yn mynd
yn dda. A rŵan dwi wedi cyhoeddi llyfr amdana fi fy hun
hefyd. Be alla fod yn well?

Ro'n i'n arfar teimlo mod i'n cerddad yn fy mlaen ond
fod 'na fynydd uchal o 'mlaen i o hyd, a'i fod yn symud efo
fi fel ro'n i'n cerddad, a byth yn mynd o'r ffordd. Erbyn
hyn, dwi'n teimlo mod i wedi dringo i dop yr hen fynydd
'na, ac yn medru sbio drosodd i'r ochr arall. A wyddoch
chi be? Mae'r olygfa'r ochr arall yn fendigedig!

Gwyrdd fy myd, 'de!